Don Quichotte, le dernier chevalier

Karen Rowan

Une adaptation simplifiée
au présent et au passé de
l'œuvre de Miguel de Cervantes

Pour des débutants intermédiaires
et débutants avancés

FLUENCY FAST LANGUAGE CLASSES, INC.
DENVER, COLORADO
719-633-6000
KAREN@FLUENCYFAST.COM
WWW.FLUENCYFAST.COM

avec

Command Performance Language Institute
28 Hopkins Court
Berkeley, CA 94706-2512
Phone: 510-524-1191
Fax: 510-527-9980
info@cpli.net
www.cpli.net

Don Quichotte, le dernier chevalier
is published by
Fluency Fast Language Classes,
which offers dynamic
spoken language classes
which enable students to acquire
Arabic, French, German, Mandarin,
Russian or Spanish
easily, inexpensively, effectively
and in a brief period of time.

with

Command Performance Language Institute,
which features
Total Physical Response products
and other fine products
related to language
acquisition and teaching.

Illustrated by Pol (Pablo Ortega López) (www.polanimation.com)

An **audio version** of ***Don Quichotte, le dernier chevalier*** may now be available. The **teacher's guide** may also be available.

Please note: While this book is not designed or intended primarily for children 12 years of age or younger, it is certainly appropriate and safe to use with learners of all ages.

First edition published January, 2018

Printed in the U.S.A. on acid–free paper with soy-based ink.

ISBN: 978-1-60372-217-9

Table des matières

Miguel de Cervantes Saavedra (September 29, 1547–April 22, 1616) was a Spanish novelist, poet and playwright. In 1575, Cervantes' ship was taken by pirates and he spent five years as a prisoner of war and a slave and made several failed attempts to escape while his family struggled to raise a ransom. Many of his experiences were later included in his main work, *El ingenioso hidalgo Don Quixote de la Mancha (The Ingenious Gentleman Don Quixote of La Mancha).*

It is considered to be the first modern European novel. The first part was published in 1605. It was immediately successful and other authors wrote phony versions of the second half of *Don Quixote*. In 1615 Cervantes published the real second half, even having his characters read the phony versions and declare them to be patently untrue. The *Quixote* has been translated into all major languages and the musical *Man of La Mancha* was based on it.

Cervantes made no money on his many books, poems and plays as he had sold the publishing rights, but *Don Quixote* is considered to be one of the best works of fiction ever written.

> *Too much sanity may be madness and the maddest of all, to see life as it is and not as it should be.*
>
> Miguel de Cervantes

Don Quichotte, le dernier chevalier

(Présent)

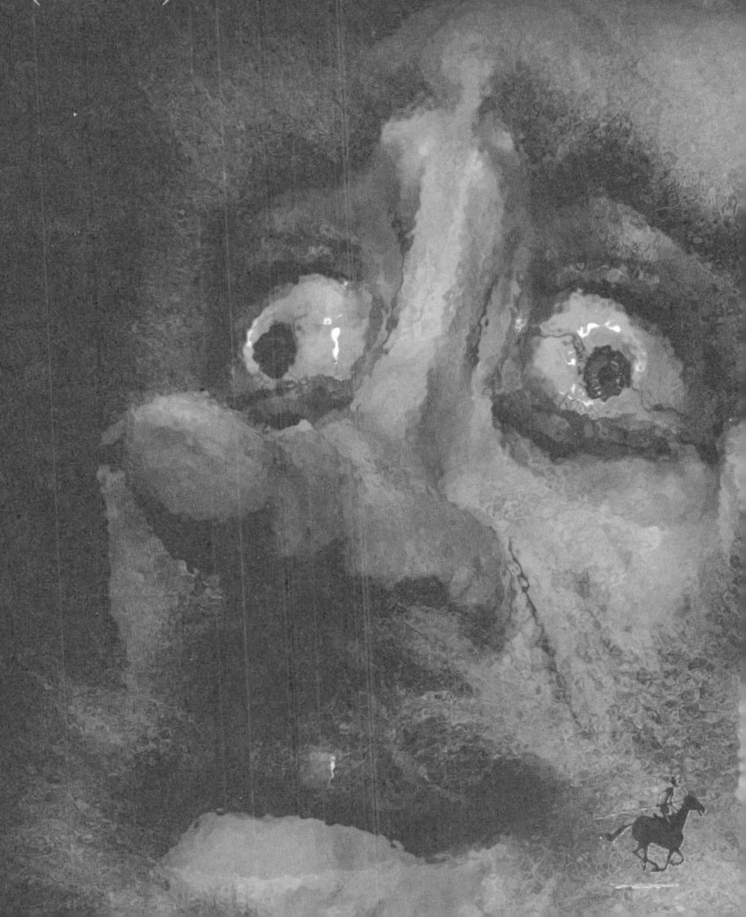

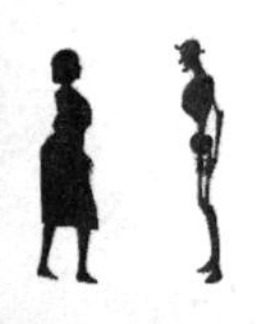

Chapitre 1 :
Don Quichotte veut être chevalier

Il y a un homme qui s'appelle Don Quichotte de la Manche. Don Quichotte est un homme grand et maigre. Il a plus de cinquante ans. Il a un vieux cheval qui s'appelle Rocinante. Don Quichotte pense que son cheval est fort, jeune et magnifique, mais il ne l'est pas du tout.

Don Quichotte aime lire beaucoup de romans de chevalerie. La chevalerie le fascine. Il lit des romans toute la journée et toute la nuit. Il lit tellement de livres qu'il devient un peu fou. Il pense qu'il est chevalier.

Il a une nièce qui s'appelle Antonia. La nièce est très inquiète parce que son oncle est devenu fou. Il veut partir à l'aventure. Elle

pense que c’est parce qu’il lit trop de livres de chevalerie. La nièce décide de brûler tous les livres dans la bibliothèque de Don Quichotte. Elle entre dans la bibliothèque en secret, prend tous les livres et elle les jette par la fenêtre. Elle fait un grand feu pour les brûler.

La nièce lui dit :

– Oncle, un charmeur de serpents est vite passé par ici et il a pris tous les livres.

Don Quichotte l'écoute et il croit que, effectivement, un charmeur de serpents a pris tous les livres.

Mais Don Quichotte veut toujours partir à l'aventure. Il veut faire tout ce que font les vrais chevaliers dans les romans. Il veut aussi se battre pour l'honneur d'une dame. Il veut la gloire éternelle. Il a un ami qui s'appelle Sancho Panza qui va avec lui.

Sancho est un homme petit et gros. Sancho vient aussi de la Manche, une région grande et plate au centre de l'Espagne.

Sancho laisse son travail, sa femme, et ses enfants pour accompagner Don Quichotte.

Il n'a pas de cheval. Il a un petit bourricot qui s'appelle Âne.

PRÉSENT

Glossaire du Chapitre 1 (Présent)

il y a there is
qui s'appelle who is named (who calls himself)
un homme grand et maigre a tall, thin man
a plus de cinquante ans is more than 50 years old (has more than 50 years)
un vieux cheval an old horse
pense que thinks that
ne l'est pas du tout is not (like that) at all
aime lire likes to read
la chevalerie le fascine chivalry fascinates him
lit reads
devient un peu fou is becoming a little crazy
pense qu'il est chevalier thinks he is a knight
a une nièce has a niece
est très inquiéte is very worried
est devenu fou has become crazy
partir à l'aventure to set off on adventure
parce qu'il lit trop de livres de chevalerie because he reads too many books of chivalry
décide de brûler decides to burn
prend tous les livres takes all the books
les jette par la fenêtre throws them out the window
fait un grand feu makes a big fire
un charmeur de serpents a snake charmer
est vite passé came by quickly
a pris tout les livres took all the books
l'écoute listens to her
croit que believes that
toujours still
veut faire wants to do
tout ce que font les vrais chevaliers everything that real knights do
veut aussi se battre also wants to fight
vient aussi de la Manche also comes from la Mancha
laisse son travail leaves his work
sa femme his wife
pour accompagner in order to accompany
n'a pas de cheval doesn't have a horse

Chapitre 2 :
Don Quichotte tombe amoureux de Dulcinée

PRÉSENT

Pour être bon chevalier, Don Quichotte a aussi besoin d'une dame. Tous les chevaliers légendaires des romans ont de grands amours, des dames qu'ils aiment. Don Quichotte veut tomber amoureux d'une très belle femme. Il décide de chercher une dame.

– D'abord, il faut que je trouve la dame parfaite. Je dois

trouver une belle princesse honorable.

– Pourquoi avez-vous besoin d'une dame, Seigneur ? lui demande Sancho.

– Un chevalier sans dame, c'est comme un arbre sans ses feuilles, lui dit Don Quichotte.

– Pourquoi ? lui demande Sancho.

– Un homme sans sa femme, c'est comme un corps sans son âme, lui répond Don Quichotte.

– Mais... pourquoi ? lui demande Sancho encore une fois.

– Un chevalier qui n'est pas amoureux, c'est comme l'ombre sans son corps, insiste Don Quichotte.

– Pourquoi ? Sancho ne laisse pas tomber la question.

– Parce que tous les autres chevaliers sont amoureux d'une dame idéale. Il faut que je tombe amoureux, moi aussi.

Don Quichotte et Sancho Panza vont au village d'El Toboso. Ils entrent dans une taverne. Ils cherchent une dame. Dans la taverne, Don Quichotte rencontre Aldonza Lorenzo, une femme pauvre qui travaille là. Il tombe amoureux d'elle immédiatement.

Aux yeux de Don Quichotte, elle est jeune et belle. C'est la plus belle femme au monde, selon Don Quichotte. Aux yeux de Sancho, elle n'est pas très belle. Selon Sancho, ce n'est pas une princesse. Ce n'est pas une dame. Sancho pense qu'elle est une femme pauvre qui travaille dans la taverne.

Don Quichotte lui promet de défendre la paix et la justice partout dans le monde à son nom. Il lui promet de lui dédier tous ses exploits. Il lui donne le nom de Dulcinée de Toboso.

Il lui dit :

– Dulcinée, dame de mon cœur...

Aldonza insiste qu'elle ne s'appelle pas Dulcinée. Les autres hommes dans la taverne se moquent de Don Quichotte.

– Je ne m'appelle pas Dulcinée. Je m'appelle Aldonza, crie Aldonza.

Don Quichotte ne fait pas attention.

À genoux, il dit :

– Je vous promets, ma douce Dulcinée, que je vais défendre votre honneur partout dans le monde.

Don Quichotte quitte la taverne follement amoureux de Dulcinée.

Sancho Panza n'y comprend rien.

Aldonza n'y comprend rien non plus.

Glossaire du Chapitre 2 (Présent)

tombe amoureux de falls in love with
pour être bon chevalier in order to be a good knight
a aussi besoin d'une dame also needs a lady
décide de chercher decides to look for
il faut que je trouve it is necessary that I find
je dois trouver I have to find
lui demande asks him
un chevalier sans dame a knight without a lady
comme un arbre sans ses feuilles like a tree without its leaves
lui dit says to him, says to her
un corps sans son âme a body without its soul
qui n'est pas amoureux who is not in love
l'ombre sans son corps the shadow without its body
ne laisse pas tomber does not drop
tous les autres chevaliers all the other knights
sont amoureux d' are in love with
il faut que je tombe amoureux it is necessary that I fall in love
vont go
entrent dans enter
rencontre meets
qui travaille là who works there
aux yeux de in the eyes of
la plus belle femme au monde the most beautiful woman in the world
selon according to
lui promet de défendre promises her to defend
partout dans le monde everywhere in the world
à son nom in her name
lui donne gives her
dame de mon cœur lady of my heart
elle ne s'appelle pas her name is not (she doesn't call herself)
se moquent de make fun of
je ne m'appelle pas my name is not (I am not called)
ne fait pas attention doesn't pay attention
à genoux on his knees
je vous promets I promise you
quitte la taverne leaves the tavern
n'y comprend rien doesn't understand anything about it

PRÉSENT

Chapitre 3 :
Les géants

Un jour, Don Quichotte et Sancho Panza voyagent au cœur de l'Espagne. Don Quichotte voit une armée de géants. Ils sont énormes. Chaque géant a quatre longs bras. Don Quichotte pense que les géants vont l'attaquer.

Il dit à Sancho :

– Je vais me battre contre eux. Je vais gagner cette incroyable bataille. Au nom de ma dame Dulcinée, je vais gagner.

Sancho dit à Don Quichotte :

– Qu'est-ce que vous voyez, Seigneur ?

Don Quichotte est perdu :

– Tu ne vois pas cette horrible armée de géants à quatre longs bras chacun ?

Sancho ne voit pas de géants. Il voit seulement des moulins. Il voit de grands moulins. Il lui dit :

– Je ne vois pas de géants, Seigneur. Je ne vois pas de géants à quatre longs bras. Je vois des moulins à vent. Les moulins ont quatre longues ailes.

Mais Don Quichotte ne fait pas attention. Il court vers les moulins à vent et il les attaque. Sancho ne veut pas que Don Quichotte soit seul dans cette bataille. Il court aussi vers les moulins à vent. Une

aile frappe Don Quichotte et le soulève dans l'air.

Quand il tombe par terre, Sancho l'aide à se lever. Don Quichotte regarde les géants encore une fois. Il admet que maintenant

les géants ne sont plus des géants. Ils ont l'air de moulins. Il dit à Sancho qu'un méchant enchanteur a tout d'un coup transformé les géants en moulins à vent.

– Un méchant enchanteur a tout d'un coup transformé les géants en moulins à vent.

Sancho lui répond :

– C'est evident.

PRÉSENT

Glossaire du Chapitre 3 (Présent)

voyagent travel
voit sees
sont are
a has
vont l'attaquer are going to attack him
me battre contre vous to fight you
je vais gagner I am going to win
qu'est-ce que vous voyez ? what do you see?
est perdu is lost
tu ne vois pas you don't see
ne voit pas doesn't see
des moulins à vent windmills
quatre longs ailes 4 longs blades
ne veut pas que Don Quichotte soit seul doesn't want Don Quixote to be alone (doesn't want that Don Quixote be alone)
frappe hits
le soulève dans l'air raises him in the air
tombe par terre falls on the ground
l'aide à se lever helps him to get up
maintenant now
ne sont plus des géants are no longer giants
ont l'air de moulins look like mills
tout d'un coup all of a sudden

Chapitre 4 :
L'aventure des bergers

Don Quichotte et Sancho continuent leur voyage dans la Manche à la recherche d'aventures. Don Quichotte voit deux armées qui vont les attaquer. Il se prépare pour l'attaque. Mais Sancho lui dit :

– Quelles armées, Seigneur ? Il n'y a pas d'armées. Il n'y a que des pauvres bergers et des moutons.

Il crie aux soldats :

– Je vais me battre contre vous. Je vais gagner cette incroyable bataille. Au nom de ma dame Dulcinée, je vais gagner.

Quand Don Quichotte attaque les bergers, les bergers répondent en lui jetant des pierres. Ils jettent beaucoup de pierres à Don Quichotte et à Sancho Panza. Ils jettent de grandes et de petites pierres.

Tout d'un coup, une pierre frappe Sancho. Il tombe de son bourricot. Une autre pierre frappe Don Quichotte à la tête. Il tombe de son cheval.

– Aïe, ma tête ! crie don Quichotte. Allons-nous en, Sancho !

Ils s'en vont, en courant.

PRÉSENT

Glossaire du Chapitre 4 (Présent)

à la recherche d'aventures in search of adventure
qui vont les attaquer who are going to attack them
se prépare pour prepares himself for
il n'y a que there are only
des pauvres bergers et des moutons poor shepherds and sheep
en lui jetant des pierres by throwing rocks at him
jettent beaucoup de pierres throw a lot of rocks
tombe de son bourricot falls from his donkey
aïe, ma tête ! ouch, my head!
allons-nous en let's go (away from here)
s'en vont en courant run away (leave by running)

Chapitre 5 : Un autre chevalier

Plus tard, Don Quichotte et Sancho Panza vont à la plage à Barcelone, en Espagne. C'est là-bas qu'ils voient la mer pour la première fois.

Là-bas, ils rencontrent un autre chevalier qui s'appelle le Chevalier de la Blanche-Lune. Le chevalier porte des vêtements traditionnels de chevalier. Il a un cheval fort et jeune. Le chevalier dit à Don Quichotte qu'il se bat au nom de la femme qu'il aime, une dame encore plus belle que Dulcinée de Toboso. Le chevalier lui dit :

– La femme que j'aime est encore plus belle que

Dulcinée de Toboso.

Don Quichotte lui dit que c'est ridicule :

– C'est ridicule !

Il lui dit que ce n'est pas possible :

– Ce n'est pas possible !

Il insiste que Dulcinée est la plus belle femme au monde :

– Dulcinée de Toboso est la femme la plus belle femme parmi toutes les femmes du monde.

Mais le Chevalier de la Blanche-Lune insiste que sa dame est plus belle que celle de Don Quichotte.

Don Quichotte est très fâché. Il lui demande :

– Pourquoi insultez-vous ma bien-aimée ? Pourquoi insultez-vous l'honneur de Dulcinée de Toboso ?

Le chevalier lui répond :

– Nous

PRÉSENT

sommes de nobles chevaliers. Nous allons nous battre pour l'honneur de nos dames. Si je gagne et que vous perdez, vous devrez retourner à la Manche pendant un an. Vous devrez rentrer chez vous, dans votre village. Vous ne pourrez plus vivre la vie d'un chevalier. Vous devrez vivre une vie tranquille et normale pendant un an.

Le chevalier continue :

– Si vous gagnez et je perds, je vais accepter que Dulcinée de Toboso soit la plus belle femme parmi toutes.

C'est un horrible pari parce que le Chevalier de la Blanche-Lune est plus fort que Don Quichotte. Mais Don Quichotte veut défendre l'honneur de Dulcinée.

Don Quichotte accepte :

– J'accepte de me battre contre vous. Je vais gagner cette incroyable bataille. Au nom de ma dame Dulcinée, je vais gagner.

Le Chevalier de la Blanche-Lune n'est pas vraiment chevalier. En

réalité, il s'appelle Sansón Carrasco. C'est un homme de la Manche. Il veut tromper Don Quichotte. Il veut que Don Quichotte rentre chez lui, à la Manche. Le faux chevalier est un ami de la nièce de Don Quichotte, Antonia.

Le faux chevalier et Don Quichotte se battent. Sancho Panza aide Don Quichotte pendant la bataille. Don Quichotte attaque le Chevalier de la Blanche-Lune. Le Chevalier de la Blanche-Lune attaque Don Quichotte. Don Quichotte tombe de son cheval Rocinante.

Sancho aide Don Quichotte à se lèver. Il se lève et il remonte sur son cheval Rocinante. Le chevalier attaque Don Quichotte et Sancho Panza encore une fois. Sancho tombe du bourriquet. Don Quichotte tombe encore. Le faux chevalier gagne cette bataille. Don Quichotte perd la bataille.

Don Quichotte est un homme honorable donc il accepte son destin. Don Quichotte et Sancho rentrent à la Manche.

Glossaire du Chapitre 5 (Présent)

vont à la plage go to the beach
voient la mer see the sea
rencontrent meet
porte des vêtements traditionnels is wearing traditional clothes
se bat is fighting
encore plus belle que even more beautiful than
plus belle que celle de Don Quichotte more beautiful than Don Quixote's (lady) (even more beautiful than the one of Don Quixote)
fâché angry
nous sommes de nobles chevaliers we are noble knights
allons nous battre are going to fight (each other)
nos dames our ladies
si je gagne et que vous perdez if I win and you lose
vous devrez retourner you will have to return
vous ne pourrez plus vivre you will no longer be able to live
si vous gagnez et je perds if you win and I lose
accepter que Dulcinée soit la plus belle femme parmi toutes accept that Dulcinea is the most beautiful woman of all
un horrible pari a horrible bet
veut tromper wants to trick
veut que Don Quichotte rentre chez lui wants Don Quixote to return home (wants that Don Quixote return to his house)
se battent fight
tombe de son cheval falls off his horse
remonte sur son cheval gets back on his horse
gagne wins
perd loses

Chapitre 6 :
Don Quichotte retourne à la Manche

PRÉSENT

Sur le chemin du retour, Don Quichotte et Sancho Panza ont eu plusieurs aventures.

Mais, quand Don Quichotte rentre chez lui, il devient très triste. Il se rend compte que ses aventures étaient imaginaires. Il se rend compte qu'en fait, il habite à La Manche comme un vieil homme. Quand il se rend compte de la réalité, Don Quichotte devient malade et il va au lit.

Sancho rend visite à Don Quichotte. Il marche lentement vers son lit. Il s'assoit près de lui. Il lui parle de Dulcinée :

– Rappelez-vous de Dulcinée, Seigneur.

Mais Don Quichotte devient de plus en plus malade.

Puis, Sancho lui parle de ses aventures :

– Rappelez-vous de nos aventures avec les géants enchantés, Seigneur !

Il ne veut pas que Don Quichotte meure. Il prend sa main. Il regarde ses yeux.

– S'il vous plaît, ne mourrez pas, Seigneur !

Mais, Don Quichotte perd tout espoir.

Il se rend compte qu'avant, il ne voyait pas la réalité. Il se rend compte que tout était une illusion. Il se rend compte que Dulcinée n'existe pas et qu'il n'est pas chevalier.

Il pense :

– Ce n'était qu'un rêve !

Il devient très triste et il déclare :

– Je ne m'appelle plus Don Quichotte de la Manche. Maintenant, je m'appelle Alonso Quijano.

Tout à coup, Don Quichotte

meurt. Pauvre Don Quichotte, le symbole de la chevalerie en Espagne et… le dernier chevalier.

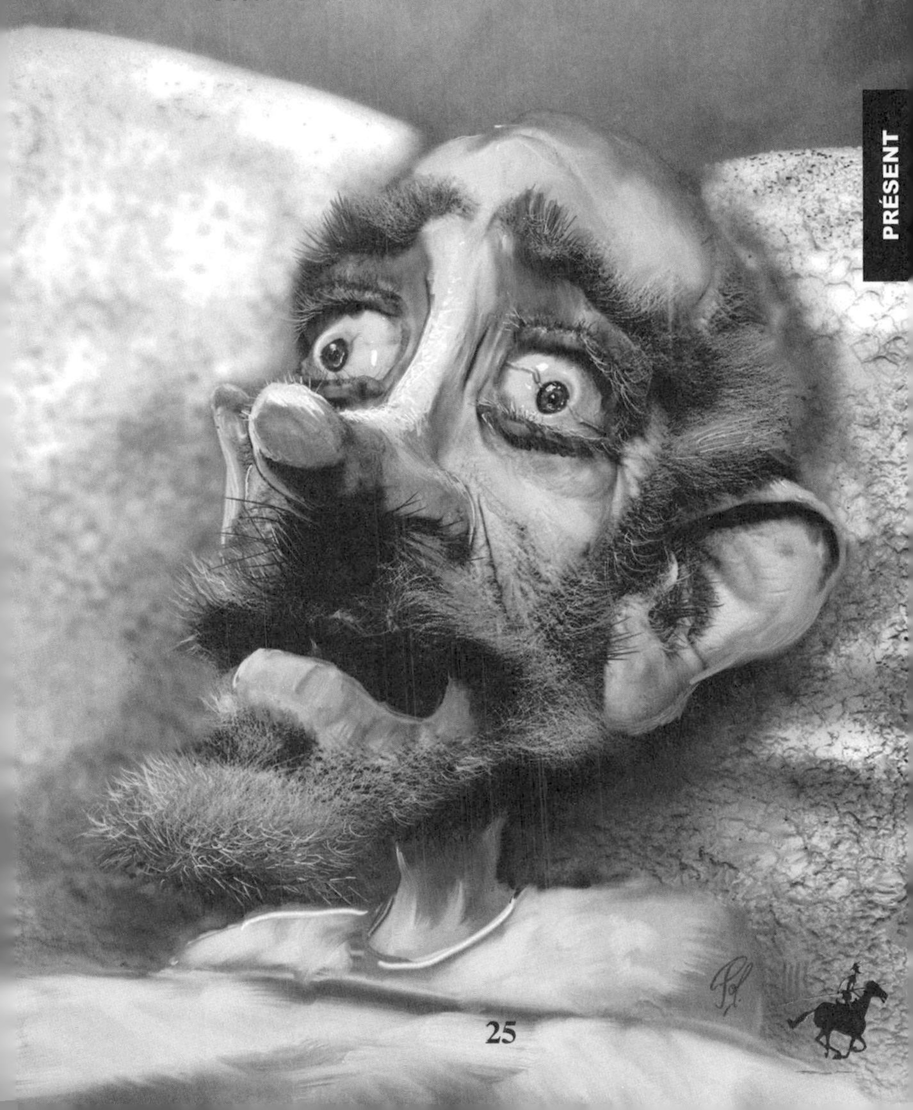

PRÉSENT

Glossaire du Chapitre 6 (Présent)

sur le chemin du retour on the way home
ont eu had
rentre returns
devient très triste becomes very sad
se rend compte realizes
étaient imaginaires were imaginary
habite lives
devient malade becomes sick
va au lit goes to bed
rend visite à visits
lui parle de talks to him about
rappelez-vous de remember
ne veut pas que Don Quichotte meure doesn't want Don Quixote to die (doesn't want that Don Quixote die)
prend takes
ne mourrez pas don't die
perd tout espoir loses all hope
tout était une illusion it was all an illusion
ce n'était qu'un rêve it was only a dream
je ne m'appelle plus I am no longer named (I no longer call myself)
meurt dies
le symbole de la chevalerie the symbol of chivalry
le dernier chevalier the last knight

Don Quichotte, le dernier chevalier

(Passé)

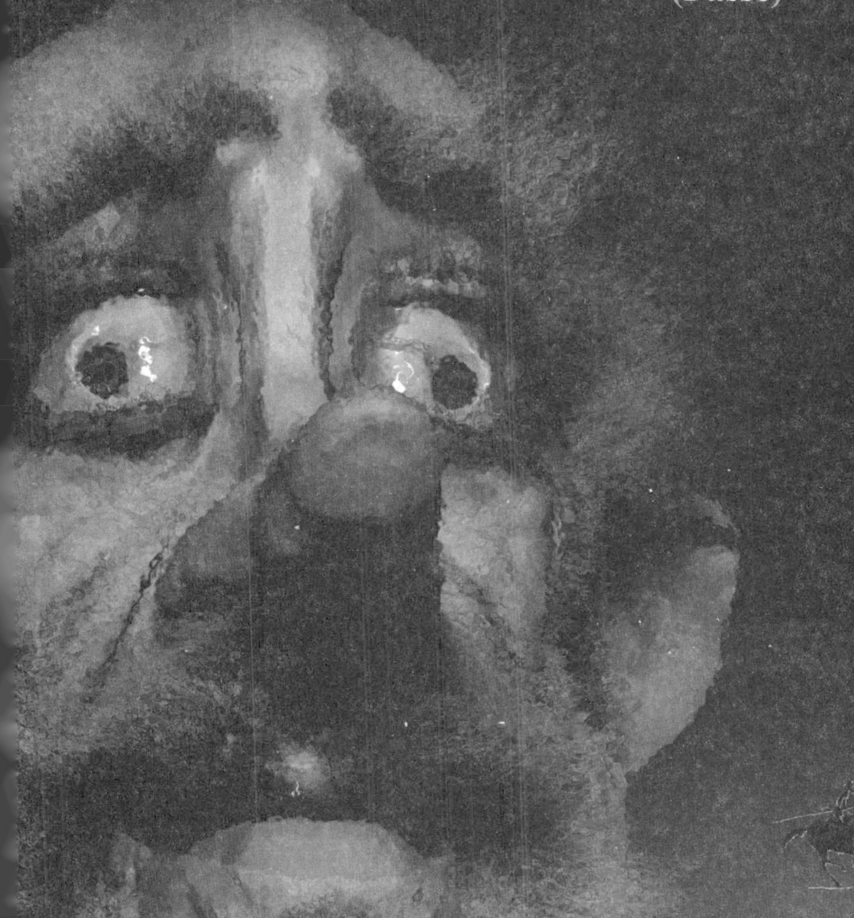

Chapitre 1 : Don Quichotte voulait être chevalier

Il y avait un homme qui s'appelait Don Quichotte de la Manche. Don Quichotte était un homme grand et maigre. Il avait plus de cinquante ans. Il avait un vieux cheval qui s'appelait Rocinante. Don Quichotte pensait que son cheval était fort, jeune et magnifique, mais il ne l'était pas du tout.

Don Quichotte aimait lire beaucoup de romans de chevalerie. La chevalerie le fascinait. Il lisait des romans toute la journée et toute la nuit. Il lisait tellement de livres qu'il est devenu un peu fou. Il pensait qu'il était chevalier.

Il avait une nièce qui

s'appelait Antonia. La nièce était très inquiète parce que son oncle était devenu fou. Il voulait partir à l'aventure. Elle pensait que c'était parce qu'il lisait trop de livres de chevalerie. La nièce a décidé de brûler tous les livres dans la bibliothèque de Don Quichotte. Elle est entrée dans la bibliothèque en secret, a pris tous les livres et elle les a jetés par la fenêtre. Elle a fait un grand feu pour les brûler.

La nièce lui a dit :

—Oncle, un charmeur de serpents est vite passé par ici et il a pris tous les livres.

Don Quichotte l'a écoutée et il a cru que, effectivement, un charmeur de serpents avait pris tous les livres.

Mais Don Quichotte voulait toujours partir à l'aventure. Il voulait faire tout ce que faisaient les vrais chevaliers dans les romans. Il voulait aussi se battre pour l'honneur d'une dame. Il voulait la gloire éternelle. Il avait un ami qui s'appelait Sancho Panza qui est allé avec lui.

Sancho était un homme petit et gros. Sancho venait aussi de la Manche, une région grande et plate au centre de l'Espagne.

Sancho a laissé son travail, sa femme, et ses enfants pour accompagner Don Quichotte.

Il n'avait pas de cheval. Il avait un petit bourricot qui s'appelait Âne.

Glossaire du Chapitre 1 (Passé)

Note: The common past tense called the *passé composé* is formed of the present tense of *avoir* or *être* followed by the past participle of the verb being used. Most verbs use *avoir*, but many common ones use *être*. Examples: *La nièce a décidé* (The niece decided). *Elle est entrée* (She entered.).

avoir	être
j'ai	je suis
tu as	tu es
il/elle/on a	il/elle/on est
nous avons	nous sommes
vous avez	vous êtes
ils/elles ont	ils/elles sont

il y avait there was
qui s'appelait who was named (who called himself)
un homme grand et maigre a tall, thin man
avait plus de cinquante ans was more than 50 years old (had more than 50 years)
un vieux cheval an old horse
pensait que thought that
ne l'était pas du tout was not (like that) at all
aimait lire liked to read
la chevalerie le fascinait chivalry fascinated him
lisait read (past)
est devenu un peu fou became a little crazy
pensait qu'il était chevalier thought he was a knight
avait une nièce had a niece
était très inquiéte was very worried
était devenu fou had become crazy
partir à l'aventure to set off on adventure
parce qu'il lisait trop de livres de chevalerie because he was reading too many books of chivalry
a décidé de brûler decided to burn
a pris tous les livres took all the books
les a jetés par la fenêtre threw them out the window
a fait un grand feu made a big fire
un charmeur de serpents a snake charmer
est vite passé came by quickly
a pris tout les livres took all the books
l'a écoutée listened to her (to her listened)
cru que believed that
toujours still
voulait faire wanted to do
tout ce que faisaient les vrais chevaliers everything that real knights did
voulait aussi se battre also wanted to fight
venait aussi de la Manche also came from la Mancha
a laissé son travail left his work
sa femme his wife
pour accompagner (in order) to accompany
n'avait pas de cheval didn't have a horse

Chapitre 2 :
Don Quichotte est tombé amoureux de Dulcinée

Pour être bon chevalier, Don Quichotte avait aussi besoin d'une dame. Tous les chevaliers légendaires des romans avaient de grands amours, des dames qu'ils aimaient. Don Quichotte voulait tomber amoureux d'une très belle femme. Il a décidé de chercher une dame.

—D'abord, il faut que je trouve la dame parfaite. Je dois trouver une belle princesse honorable.

—Pourquoi avez-

PASSÉ

vous besoin d'une dame, Seigneur ? —lui a demandé Sancho.

—Un chevalier sans dame, c'est comme un arbre sans ses feuilles. — lui a dit Don Quichotte.

—Pourquoi ?—lui a demandé Sancho.

—Un homme sans sa femme, c'est comme un corps sans son âme. —lui a répondu Don Quichotte.

—Mais... pourquoi ?—lui a demandé Sancho encore une fois.

—Un chevalier qui n'est pas amoureux, c'est comme l'ombre sans son corps — a insisté Don Quichotte.

—Pourquoi ?— Sancho n'a pas laissé tomber la question.

—Parce que tous les autres chevaliers sont amoureux d'une dame idéale. Il faut que je tombe amoureux, moi aussi.

Don Quichotte et Sancho Panza sont allés au village d'El Toboso. Ils sont entrés dans une taverne. Ils ont cherché une dame. Dans la taverne,

Don Quichotte a rencontré Aldonza Lorenzo, une femme pauvre qui travaillait là. Il est tombé amoureux d'elle immédiatement.

Aux yeux de Don Quichotte, elle était jeune et belle. C'était la plus belle femme au monde, selon Don Quichotte. Aux yeux de Sancho, elle n'était pas très belle. Selon Sancho, ce n'était pas une princesse. Ce n'était pas une dame. Sancho pensait qu'elle était une femme pauvre qui travaillait dans la taverne.

Don Quichotte lui a promis de défendre la paix et la justice partout dans le monde à son nom. Il lui a promis de lui dédier tous ses exploits. Il lui a donné le nom de Dulcinée de Toboso.

Il lui a dit :

—Dulcinée, dame de mon cœur...

Aldonza a insisté qu'elle ne s'appelait pas Dulcinée. Les autres hommes dans la taverne se

moquaient de Don Quichotte.

—Je ne m'appelle pas Dulcinée. Je m'appelle Aldonza.— a crié Aldonza.

Don Quichotte ne faisait pas attention.

À genoux, il a dit :

—Je vous promets, ma douce Dulcinée, que je vais défendre votre honneur partout dans le monde.

Don Quichotte a quitté la taverne follement amoureux de Dulcinée.

Sancho Panza n'y comprenait rien.

Aldonza n'y comprenait rien non plus.

Glossaire du Chapitre 2 (Passé)

pour être bon chevalier in order to be a good knight
avait aussi besoin d'une dame also needed a lady (had also need of a lady)
a décidé de chercher decided to look for
il faut que je trouve it is necessary that I find
je dois trouver I have to find
lui a demandé asked him
un chevalier sans dame a knight without a lady
comme un arbre sans ses feuilles like a tree without its leaves
lui a dit said to him, said to her
un corps sans son âme a body without its soul
qui n'est pas amoureux who is not in love
l'ombre sans son corps the shadow without its body
n'a pas laissé tomber did not drop
tous les autres chevaliers all the other knights
sont amoureux d' are in love with
il faut que je tombe amoureux it is necessary that I fall in love
sont allés went
sont entrés dans entered
a rencontré met
qui travaillait là who was working there
est tombé amoureux de fell in love with
aux yeux de in the eyes of
la plus belle femme au monde the most beautiful woman in the world
selon according to
lui a promis de défendre promised her to defend
partout dans le monde everywhere in the world
à son nom in her name
lui a donné gave her
dame de mon cœur lady of my heart
elle ne s'appelait pas her name was not (she didn't call herself)
se moquaient de made fun of
je ne m'appelle pas my name is not (I am not called)
ne faisait pas attention didn't pay attention
à genoux on his knees
je vous promets I promise you
a quitté la taverne left the tavern
n'y comprenait rien didn't understand anything about it

Chapitre 3 :
L'aventure des moulins à vent

Un jour, Don Quichotte et Sancho Panza ont voyagé au cœur de l'Espagne. Don Quichotte a vu une armée de géants. Ils étaient énormes. Chaque géant avait quatre longs bras. Don Quichotte pensait que les géants allaient l'attaquer.

Il a dit à Sancho :

—Je vais me battre contre eux. Je vais gagner cette incroyable

bataille. Au nom de ma dame Dulcinée, je vais gagner.

Sancho a dit à Don Quichotte :

—Qu'est-ce que vous voyez, Seigneur ?

Don Quichotte était perdu :

—Tu ne vois pas cette horrible armée de géants à quatre longs bras chacun ?

Sancho ne voyait pas de géants. Il voyait seulement des moulins. Il voyait de grands moulins. Il lui a dit :

—Je ne vois pas de géants, Seigneur. Je ne vois pas de géants à quatre longs bras. Je vois des moulins à vent. Les moulins ont quatre longues ailes.

Mais Don Quichotte ne faisait pas attention. Il a couru vers les moulins à vent et il les a attaqués. Sancho ne voulait pas que Don Quichotte soit seul dans cette bataille. Il a couru aussi vers les moulins à vent. Une aile a frappé Don Quichotte et l'a soulevé dans l'air.

Quand il est tombé par terre,

Sancho l'a aidé à se lever. Don Quichotte a regardé les géants encore une fois. Il a admis que maintenant les géants n'étaient plus des géants. Ils avaient l'air de moulins. Il a dit à Sancho qu'un

méchant enchanteur avait tout d'un coup transformé les géants en moulins à vent.

—Un méchant enchanteur a tout d'un coup transformé les géants en moulins à vent.

Sancho lui a répondu :

—C'est évident.

Glossaire du Chapitre 3 (Passé)

ont voyagé traveled
a vu saw
étaient were
avait had
allaient l'attaquer were going to attack him
me battre contre vous to fight you
je vais gagner I am going to win
qu'est-ce que vous voyez ? what do you see?
était perdu was lost
tu ne vois pas you don't see
ne voyait pas didn't see
des moulins à vent windmills
quatre longs ailes 4 longs blades
ne voulait pas que Don Quichotte soit seul did not want Don Quixote to be alone (did not want that Don Quixote be alone)
a frappé hit
l'a soulèvé dans l'air raised him in the air
est tombé par terre fell on the ground
l'a aidé à se lever helped him to get up
maintenant now
n'étaient plus des géants were no longer giants
avaient l'air de moulins looked like mills
tout d'un coup all of a sudden

PASSÉ

Chapitre 4 :
L'aventure des bergers

Don Quichotte et Sancho ont continué leur voyage dans la Manche à la recherche d'aventures. Don Quichotte a vu deux armées qui allaient les attaquer. Il s'est préparé pour l'attaque. Mais Sancho lui a dit :

—Quelles armées, Seigneur ? Il n'y a pas d'armées. Il n'y a que des pauvres bergers et des moutons.

Il a crié aux soldats :

— Je vais me battre contre vous. Je vais gagner cette incroyable

bataille. Au nom de ma dame Dulcinée, je vais gagner.

Quand Don Quichotte a attaqué les bergers, les bergers ont répondu en lui jetant des pierres. Ils ont jeté beaucoup de pierres à Don Quichotte et à Sancho Panza. Ils ont jeté de grandes et de petites pierres.

Tout d'un coup, une pierre a frappé Sancho. Il est tombé de son bourricot. Une autre pierre a frappé Don Quichotte à la tête. Il est tombé de son cheval.

—Aïe, ma tête ! — a crié Don Quichotte—Allons-nous en, Sancho !

Ils s'en sont allés, en courant.

Glossaire du Chapitre 4 (Passé)

à la recherche d'aventures in search of adventure
qui allaient les attaquer who were going to attack them
s'est préparé pour prepared himself for
il n'y a que there are only
des pauvres bergers et des moutons poor shepherds and sheep
en lui jetant des pierres by throwing rocks at him
ont jeté beaucoup de pierres threw a lot of rocks
est tombé de son bourricot fell from his donkey
aïe, ma tête ! ouch, my head!
allons-nous en let's go (away from here)
s'en sont allés, en courant ran away (left by running)

PASSÉ

Chapitre 5 : Un autre chevalier

Plus tard, Don Quichotte et Sancho Panza sont allés à la plage à Barcelone, en Espagne. C'est là-bas qu'ils ont vu la mer pour la première fois.

Là-bas, ils ont rencontré un autre chevalier qui s'appelait le Chevalier de la Blanche-Lune. Le chevalier portait des vêtements traditionnels de chevalier. Il avait un cheval fort et jeune. Le chevalier a dit à Don Quichotte qu'il se battait au nom de la femme qu'il aimait, une dame encore plus belle que Dulcinée de Toboso. Le chevalier lui a dit :

— La femme que j'aime est encore plus belle que Dulcinée de Toboso.

Don Quichotte lui a dit que c'était

ridicule.

— C'est ridicule !

Il lui a dit que ce n'était pas possible.

— Ce n'est pas possible !

Il a insisté que Dulcinée était la plus belle femme au monde :

— Dulcinée de Toboso est la plus belle femme parmi toutes les femmes du monde.

Mais le Chevalier de la Blanche-Lune a insisté que sa dame était plus belle que celle de Don Quichotte.

Don Quichotte était très fâché. Il lui a demandé :

— Pourquoi insultez-vous ma bien-aimée ? Pourquoi insultez-vous l'honneur de Dulcinée de Toboso ?

Le chevalier lui a répondu :

PASSÉ

—Nous sommes de nobles chevaliers. Nous allons nous battre pour l'honneur de nos dames. Si je gagne et que vous perdez, vous devrez retourner à la Manche pendant un an. Vous devrez rentrer chez vous, dans votre village. Vous ne pourrez plus vivre la vie d'un chevalier. Vous devrez vivre une vie tranquille et normale pendant un an.

Le chevalier a continué :

—Si vous gagnez et je perds, je vais accepter que Dulcinée de Toboso soit la plus belle femme parmi toutes.

C'était un horrible pari, parce que le Chevalier de la Blanche-Lune était plus fort que Don Quichotte. Mais Don Quichotte voulait défendre l'honneur de Dulcinée.

Don Quichotte a accepté :

— J'accepte de me battre contre vous. Je vais gagner cette incroyable bataille. Au nom de ma dame Dulcinée, je vais gagner.

Le Chevalier de la Blanche-Lune

n'était pas vraiment chevalier. En réalité, il s'appelait Sansón Carrasco. C'était un homme de la Manche. Il voulait tromper Don Quichotte. Il voulait que Don Quichotte rentre chez lui, à la Manche. Le faux chevalier était un ami de la nièce de Don Quichotte, Antonia.

Le faux chevalier et Don Quichotte se sont battus. Sancho Panza a aidé Don Quichotte pendant la bataille. Don Quichotte a attaqué le Chevalier de la Blanche-Lune. Le Chevalier de la Blanche-Lune a attaqué Don Quichotte. Don Quichotte est tombé de son cheval Rocinante.

Sancho a aidé Don Quichotte à se lever. Il s'est levé et il est remonté sur son cheval Rocinante. Le chevalier a attaqué Don Quichotte et Sancho Panza encore une fois. Sancho est tombé du bourriquet. Don Quichotte est encore tombé. Le

faux chevalier a gagné cette bataille. Don Quichotte a perdu la bataille.

Don Quichotte était un homme honorable et donc il a accepté son destin. Immédiatement, Don Quichotte et Sancho ont décidé de rentrer à la Manche.

Glossaire du Chapitre 5 (Passé)

sont allés à la plage went to the beach
ont vu la mer saw the sea
ont rencontré met
portait des vêtements traditionnels was wearing traditional clothes
se battait was fighting
encore plus belle que even more beautiful than
plus belle que celle de Don Quichotte more beautiful than Don Quixote's (lady) (even more beautiful than the one of Don Quixote)
était très fâché was very angry
nous sommes de nobles chevaliers we are noble knights
allons nous battre are going to fight (each other)
nos dames our ladies
si je gagne et que vous perdez if I win and you lose
vous devrez retourner you will have to return
vous ne pourrez plus vivre you will no longer be able to live
si vous gagnez et je perds if you win and I lose
accepter que Dulcinée soit la plus belle femme parmi toutes accept that Dulcinea is the most beautiful woman of all
un horrible pari a horrible bet
voulait tromper wanted to trick
voulait que Don Quichotte rentre chez lui wanted Don Quixote to return home (wanted that Don Quixote return to his house)
se sont battus fought
est tombé de son cheval fell off his horse
est remonté sur son cheval got back on his horse
a gagné won
a perdu lost

Chapitre 6 :
Don Quichotte est retourné à la Manche

Sur le chemin du retour, Don Quichotte et Sancho Panza ont eu plusieurs aventures.

Mais, quand Don Quichotte est rentré chez lui, il est devenu très triste. Il s'est rendu compte que la plupart de ses aventures étaient imaginaires. Il s'est rendu compte qu'en fait, il habitait à la Manche comme un vieil homme. Quand il s'est rendu compte de la réalité, Don Quichotte est devenu malade et il est allé au lit.

Sancho a rendu visite à Don Quichotte. Il marchait lentement vers son lit. Il s'est assis près de lui. Il lui a parlé de Dulcinée :

—Rappelez-vous de Dulcinée, Seigneur.

Mais Don Quichotte est devenu

PASSÉ

de plus en plus malade.

Puis, Sancho lui a parlé de ses aventures :

—Rappelez-vous de nos aventures avec les géants enchantés, Seigneur !

Il ne voulait pas que Don Quichotte meure. Il a pris sa main. Il a regardé ses yeux.

—S'il vous plaît, ne mourrez pas, Seigneur !

Mais, Don Quichotte a perdu tout espoir.

Il s'est rendu compte qu'avant, il ne voyait pas la réalité. Il s'est rendu compte que tout était une illusion. Il s'est rendu compte que Dulcinée n'existait pas et qu'il n'était pas chevalier.

Il a pensé :

—Ce n'était qu'un rêve !

Il est devenu très triste et il a déclaré :

—Je ne m'appelle plus Don Quichotte de la Manche. Maintenant, je m'appelle Alonso Quijano.

Tout à coup, Don Quichotte est mort. Pauvre Don Quichotte, le symbole de la chevalerie en Espagne et… le dernier chevalier.

Glossaire du Chapitre 6 (Passé)

est retourné returned
sur le chemin du retour on the way home
ont eu had
est rentré returned
est devenu très triste became very sad
s'est rendu compte que realized that
étaient imaginaires were imaginary
habitait lived
est devenu malade became sick
est allé au lit went to bed
a rendu visite à visited
lui a parlé de talked to him about
rappelez-vous de remember
ne voulait pas que Don Quichotte meure didn't want Don Quixote to die (didn't want that Don Quixote die)
a pris took
ne mourrez pas don't die
a perdu tout espoir lost all hope
tout était une illusion it was all an illusion
ce n'était qu'un rêve it was only a dream
je ne m'appelle plus I am no longer named (I no longer call myself)
est mort died
le symbole de la chevalerie the symbol of chivalry
le dernier chevalier the last knight

GLOSSAIRE

Note: The common past tense called the *passé composé* is formed of the present tense of *avoir* or *être* followed by the past participle of the verb being used. Most verbs use *avoir*, but many common ones use *être*. Examples: *La nièce a décidé* (The niece decided). *Elle est entrée* (She entered.).

avoir	être
j'ai	je suis
tu as	tu es
il/elle/on a	il/elle/on est
nous avons	nous sommes
vous avez	vous êtes
ils/elles ont	ils/elles sont

a has
à to
  à la fois at the same time
  à la recherche d'aventures in search of adventures
  à la tête on the head
  à propos de about
  à son nom in her name
accepte accepts, accept
  a accepté accepted
  accepter to accept
accompagner to accompany
admet admits
  a admis admitted
afin de in order to
aide helps
  a aidé helped
aïe ouch
une **aile** a blade
aimaient liked, loved
  aimait liked, loved
  aime likes, loves
  aiment love
l'**air** air
allaient were going
  est allé went
  s'en sont allés left, went away
  sont allés went
allons are going
  allons-nous en let's go
alors que so that
l'**âme** soul
un **ami** a friend
amoureux in love
  amoureux d' in love with
les **amours** the loves
  de grands amours great loves
amusante fun
un **an** a year
Âne Donkey
s'**appelait** was named
un **arbre** a tree
une **armée** an army
s'est **assis** sat
l'**attaque** the attack
attaque attacks, attack
  a attaqué attacked
  attaquer to attack

au in the, at the, to the
  au centre in the center
  au cœur at the heart
  au lit in bed
  au monde in the world
  au nom de in the name of
  au village to the village
  au XVIIe siècle in the 17th century
aussi also, too, as
autre, autres other
aux to the, in the
avaient had
  avaient l'air de looked like
  avait had
  avait pris had taken
  avait transformé...en had turned...into
avant before
avec with
l'**aventure** the adventure
  des aventures adventures
avez-vous besoin d' do you need (have you need of)
Barcelone Barcelona
basée based
la **bataille** battle
se **battait** was fighting
  battre to fight
  me battre to fight
  nous battre to fight
  se sont battus fought
beaucoup a lot
  beaucoup de a lot of
belle beautiful
les **bergers** the shepherds
a **besoin d'** need
la **bibliothèque** library
ma **bien-aimée** my beloved
blanche white
bon good
un **bourricot** a donkey
des **bras** arms
brûler to burn
ce, c' (abbreviation of *ce*) this, it
  c'est it is, he is, she is
  c'était it was
ça that, it
ce que, ce qu' (abbreviation of *ce que*) what
celle the one
  celle de Don Quichotte Don Quichotte's (the one of Don Quichotte)
le **centre** the center
  au centre at the center
cette this
chacun each one
le **chapitre** chapter
chaque each
un **charmeur de serpents** a snake charmer
le **chemin** path, way
  le chemin du retour the way home
cherche is looking for
  ont cherché looked for

cherchent look for
chercher to look for
le **cheval** horse
la **chevalerie** chivalry
le **chevalier** knight
chez lui to his house
chez vous to your house
cinquante fifty
le **coeur** the heart
au coeur at the heart
comme as, like
son **compagnon** his companion
comprenait understood
n'y comprenait rien didn't understand anything about it
comprend understands
n'y comprend rien doesn't understand anything about it
considérait considered
considère considers
considèrent consider
beaucoup de personnes le considèrent a lot of people consider it
continue continues
continuent continue
a continué continued
ont continué continued
contre against
son **corps** his body
en **courant** running
court runs
a couru ran
crie yells, cries out
a crié screamed, yelled
croit believes
a cru believed
d' = *de* before a vowel or silent *h*
d'abord first (of all)
d'El Toboso from El Toboso
la **dame** lady
dans in
de of, from, about, off, any, about
de l' of the
de la Manche of la Mancha
de plus en plus more and more
décide decides
a décidé decided
a décidé de decided to
ont décidé de decided to
déclare declare
a déclaré declared
déclarer to declare
dédier to dedicate
défendre to defend
demande asks
a demandé asked
dernier last
des some, in, of
son **destin** his destiny
deux two
devait had to
est **devenu** became, has be-

come

était devenu had become

devient is becoming; becomes

devrez will have to

dit says

a dit said, told

dois have to, must

Don term of respect used before the first name of a man in Spanish (without using the last name)

donc thus, therefore

donne gives

a donné gave

douce sweet

du of the, in the, from the

du monde in the world

du tout at all

Dulcinée de Toboso Dulcinea of Toboso

écoute listens

a écouté listened

effectivement actually, indeed

elle she, her

en in, into, about it

allons-nous en let's go (from here)

en courant running

en fait in fact

en lui jetant des pierres by throwing rocks at him

en moulins à vent into windmills

un **enchanteur** an enchantress

enchantés enchanted

encore more, again

encore une fois one more time

ses **enfants** his children

énormes enormous

entre dans enters

entrent dans enter

est entrée entered

sont entrés entered

l'**Espagne** Spain

un **Espagnol** a Spaniard

l'**espoir** hope

est is

et and

étaient were

était was

éternelle eternal

être to be

ont **eu** had

eux them

évident evident, obvious

existait existed

existe exists

ses **exploits** his exploits

extraordinaire extraordinary

fâché angry

fascinait fascinated

la chevalerie le fascinait chivalry fascinated him

fascine fascinates

la chevalerie le fascine chivalry fascinates him

faire to do
faire tout ce que faisaient les vrais chevaliers to do everything that real knights did
faisait attention was paying attention
faisaient did
fait makes
fait attention pays attention, is paying attention
a fait made
la **famille** family
faux fake
la **femme** wife, woman
la **fenêtre** window
un **feu** a fire
ses **feuilles** its leaves
une **fois** one time
à la fois at the same time
follement madly
font do
faire tout ce que font les vrais chevaliers to do everything that real knights do
fort strong
fou crazy
frappe hits, hit
a frappé hit
gagne win, wins
a gagné won
gagner to win
gagnez win
géant giant
à **genoux** on his knees
la **gloire** glory
grand, grande, grands, grandes big, great, tall
gros fat
habitait lived
hidalgo nobleman (this is a Spanish word)
l'**histoire** history
une histoire a story
un **homme** a man
l'**honneur** honor
l'**humanité** humanity
ici here
idéal, idéale ideal
il he, it
il faut que it is necessary that
il y a there is, there are
il n'y a pas there aren't
il n'y a pas d'armées there aren't any armies
il n'y a que there are only
il y avait there was, there were
ils they
imaginaires imaginary
l'**imagination** imagination
immédiatement immediately
incroyable incredible, unbelievable
inquiète worried
insiste insists

a insisté insisted
insultez-vous are you insulting
ironique ironic
j' (abbreviation of je) I
je I
je m'appelle my name is
je ne m'appelle pas my name is not
jetant throwing
en lui jetant des pierres by throwing rocks at him
a jeté threw
ont jeté threw
jette throws
jettent throw
jeune young
un **jour** a day
la **journée** the day
la **justice** justice
l' = *le* or *la* before a vowel or silent *h* the, her, to her, him
Don Quichotte l'a écoutée Don Quixote listened to her
la the, her, it
là there
là-bas over there
laisse leaves
a laissé left
laisse tomber drops
a laissé tomber dropped
le the, him, it
beaucoup de personnes le considèrent a lot of people consider it
la chevalerie le fascinait chivalry fascinated him
légendaires legendary
lentement slowly
les the, them
elle les a jetés she threw them
leur their
se **lever** to get up
s'est levé got up
lire to read
lisait was reading, would read
lit reads
le **lit** bed
au lit in bed
un **livre** book
des livres de chevalerie books of chivalry
longs, longues long
lui to him, at him, to her
chez lui to his house
en lui jetant des pierres by throwing rocks at him
la **lune** moon
ma my
magnifique magnificent
maigre thin
la **main** hand
maintenant now
mais but
malade sick
la **Manche** la Mancha (region of Spain)

je **m'appelle** my name is
marchait was walking
marche walks
méchant mean
meilleur best
la **mer** the sea
mériter to deserve
meure to die
Il ne veut pas que Don Quichotte meure He doesn't want Don Quixote to die
meurt dies
moi me
mon my
le **monde** the world
au monde in the world
se **moquaient de** were making fun of
est **mort** died
les **moulins** the mills
les moulins à vent the windmills
ne **mourrez pas** don't die
des **moutons** sheep
n' = *ne* before a vowel or silent *h*
n'est pas is not
n'est pas amoureux is not in love
n'était pas was not
n'existait pas did not exist
ne...pas not
ne l'était pas was not (like that)
ne...plus no longer, not anymore
ne m'appelle plus am no longer named
ne...que only
ne...rien nothing, not anything
ne vois pas de géants do not see any giants
ne voulait pas did not want
la **nièce** niece
la nièce de Don Quichotte Don Quixote's niece
nobles noble
le **nom** the name
au nom de in the name of
normale normal
nos our
nous we, us
allons-nous en let's go
la **nuit** night
il **n'y a que** there are only
n'y comprenait rien didn't understand anything about it
l'ombre shadow
l'oncle uncle
ont have
ont l'air have; look like
ordinaire ordinary
la **paix** peace
par by
par la fenêtre out the window
par terre on the ground

parce qu' because
parce que because
parfaite perfect
un **pari** a bet
parle talks
a parlé spoke, talked
a parlé de talked about
parmi among
partir à l'aventure to set off on adventure
partout everywhere
pas: ne...pas not
pas du tout not at all
est **passé** passed by, came by
pauvre poor
pendant during, for
pense thinks, is thinking
pense à is thinking about
pensait was thinking, thought
a pensé thought
perd loses
perds lose
perdez lose
est perdu is lost
a perdu lost
était perdu was lost
personnes people
petit, petites little, short, small
un **peu** a little
une **pierre** a rock
la **plage** beach
plate flat
la **plupart** the majority
plus more, -er
plus de cinquante ans more than 50 years
la plus the most
plus tard later
plusieurs several
porte is wearing
portait was wearing
pour for, in order to
pour les brûler to burn them
pourquoi why
pourrez will be able to
première first
prend takes
se **prépare** prepares himself
s'est préparé prepared himself
près de near
une **princesse** a princess
a **pris** took
avait pris had taken
promet promises
promet de promises to
promets promise
a **promis de** promised to
à **propos de** about
publié published
puis then
qu' = *que* before a vowel or silent *h*
qu'est-ce que what (is it that)
quand when

quatre four
que that, than, as
quelles what
qui who, that
quitte leaves
  a quitté left
rappelez-vous de remember
la **réalité** reality
la **recherche** the search
  à la recherche d'aventures in search of adventures
regarde look at, looks at
  a regardé looked at
une **région** a region
remonte sur get back on
  est remonté sur got back on
rencontre meets
  rencontrent meet
  a rencontré met
  ont rencontré met
rend visite visits
  a rendu visite visited
se **rend compte** realizes
  s'est rendu compte realized
rentre returns home
  est rentré went home
  rentrer to return home
répond answers, responds
  répondent answer, respond
  a répondu answered
  ont répondu answered
retour return
  sur le chemin du retour on the way home
retourne returns
  retourner to return
  est retourné returned
un **rêve** a dream
ridicule ridiculous
rien nothing, not anything
un **roman** a novel
  des romans de chevalerie books of chivalry
s' = *se* before a vowel or silent *h*
sa his, her
  s'appelait was named
  s'appelle is named
  s'en sont allés left, went away
  ils **s'en vont en courant** they run away (they go away running)
  s'est assis sat
  s'assoit sits down
  s'est levé got up
  s'est préparé prepared himself
  s'est rendu compte realized
se himself, herself, often not translated
se bat is fighting
se battait was fighting
se battre to fight
se lève gets up
se lever to get up
se moquent de make fun of
se moquaient de were making fun of

se rend compte realizes
se sont battus fought
se trompait was tricking
se trompe is wrong
s'il vous plaît please (if it pleases you)
sans without
en **secret** in secret
Seigneur Master, Lord
selon according to
un **serpent** a snake
une **serveuse** a waitress
ses his, her, its
seul alone
seulement only
si if
le **siècle** century
  au XVIIe siècle in the 17th century
soit be, is.
les **soldats** soldiers
sommes are
son his, her, its
  son lit his bed
  son oncle her uncle
  son travail his work
sont are
  sont allés went
  sont entrés entered
soulève lifts up
  a soulevé raised
sur on
le **symbole** symbol
la **taverne** tavern
tellement so many
la **terre** ground
la **tête** head
Toboso town in central Spain
tombe falls
  tombe amoureux falls in love
  est tombé fell
  est tombé de fell off
  tombe amoureux de falls in love with
  tomber amoureux d' to fall in love with
toujours still, always
tout, toute, tous, toutes all
  tout à coup all of a sudden
  tout ce que all that
  tout d'un coup all of a sudden
  toute la journée all day long
traditionnels traditional
tragique tragic
tranquille tranquil
a **transformé** transformed
  avait transformé had transformed
le **travail** work
  travaillait was working
  travaille works
très very
triste sad
se **trompait** was tricking
  tromper to trick

trop de too many
trouvait was finding
  trouve finds
  trouver to find
tu you
un a, an, one
une a, an, one
va goes, is going
  vais am going
venait de came from
vers toward
des **vêtements** clothing
veut wants
  veulent want
la **vie** life
vieil, vieux old
vient de comes from
le **village** the village
  au village in the village
vite quickly
vivre to live
voient see
  vois see
  voit sees
vont go, are going
votre your
voulait wanted
vous you (formal)
voyait was seeing
un **voyage** trip
ont **voyagé** traveled
  voyagent are traveling
voyez see
vrai real
vraiment really
a **vu** saw
  ont vu saw
y about it, there
  il y a there are
  il n'y a pas there aren't
  il n'y a que there are only
  n'y comprenait rien didn't understand anything about it
les **yeux** eyes
  aux yeux de in the eyes of
  ses yeux his eyes

ACKNOWLEDGMENTS

In 2013, while teaching at Palmer High School in Colorado Springs, my colleagues and I collaborated with the theater department's production of *Man of La Mancha* and created a department-wide lesson around *Don Quijote de la Mancha*. My department members participated, contributed, proofread, taught, brainstormed and ultimately co-created a cross-curricular celebration of the *Quijote*. To Micah Cerasni, Sunny Jiang, Hector Leyba, Bonnie Poucel, Genevieve Poucel and Tiffany Schonewill, thank you for the opportunity to work with you. To Amy O'Connor and Ali Eustice, your continued enthusiastic, creative collaborative spirit, first years ago at The Colorado Springs School and then at Palmer, has inspired me to be a better teacher for more than a decade. To my students at Palmer High School, thank you for allowing me to experiment on you with new ideas and drafts of books.

And, as always, many thanks to my muse, Kassidy.

High frequency vocabulary and structures are presented repeatedly in all books in the Isabela Series, illustrated by Pablo Ortega López — for beginning adults and children.

Les Adventures d'Isabelle

Book 1 – Isabelle Series – 230 unique words

Isabelle is a 8 1/2-year-old girl who can't seem to keep herself out of trouble on a visit to Paris with her mother. She's dramatic. She sings on the subway, screams like a baby after eating a cheese that is too strong, and convinces her mom to buy new shoes for a big family. She has numerous amusing adventures just because she can't keep still.

Isabelle capture un singe hurleur

Book 2 – Isabelle Series – 424 unique words

Isabelle is a precocious 9 1/2-year-old girl who finds herself in trouble again while visiting French Guiana with her mother. "I don't cause problems!" she insists. "Problems find me." Isabelle and her friend Daniel plan to capture and train a howler monkey. When a baby monkey shocks himself on an electrical wire and falls from a tree, they try to save his life.

Carl ne veut pas aller en France
Book 3 – Isabelle Series – 429 unique words

Nine-year-old Carl and his mother are moving to Paris. He doesn't want to go! When he gets there, he doesn't speak French. He misses his favorite foods. He has no friends. He's desperately unhappy. Things change when he notices stray dogs on the streets and he starts playing soccer. How can he become a happy boy in France?

To obtain copies of

Don Quichotte, le dernier chevalier

contact

Fluency Fast Language Classes

or

Command Performance Language Institute

(see title page)

or

one of the distributors listed below.

DISTRIBUTORS

of ***Command Performance Language Institute*** products

Sosnowski Language Resourses Pine, Colorado (800) 437-7161 www.sosnowskibooks.com	*Midwest European Publications* Skokie, Illinois (800) 277-4645 www.mep-eli.com	*World of Reading, Ltd.* Atlanta, Georgia (800) 729-3703 www.wor.com
Applause Learning Resources Roslyn, NY (800) APPLAUSE www.applauselearning.com	*Continental Book Co.* Denver, Colorado (303) 289-1761 www.continentalbook.com	*Delta Systems, Inc.* McHenry, Illinois (800) 323-8270 www.delta-systems.com
The CI Bookshop Broek in Waterland THE NETHERLANDS (31) 0612-329694 www.thecibookshop.com	*Taalleermethoden.nl* Ermelo, THE NETHERLANDS (31) 0341-551998 www.taalleermethoden.nl	*Adams Book Company* Brooklyn, NY (800) 221-0909 www.adamsbook.com
TPRS Publishing, Inc. Chandler, Arizona (800) TPR IS FUN = 877-4738 www.tprstorytelling.com	*Teacher's Discovery* Auburn Hills, Michigan (800) TEACHER www.teachersdiscovery.com	*MBS Textbook Exchange* Columbia, Missouri (800) 325-0530 www.mbsbooks.com
International Book Centre Shelby Township, Michigan (810) 879-8436 www.ibcbooks.com	*Carlex* Rochester, Michigan (800) 526-3768 www.carlexonline.com	*Tempo Bookstore* Washington, DC (202) 363-6683 Tempobookstore@yahoo.com
Follett School Solutions McHenry, IL 800-621-4272 www.follettschoolsolutions.com	*Piefke Trading* Selangor, MALAYSIA +60 163 141 089 www.piefke-trading.com	

MISSION: The mission of Fluency Fast is to create and sustain a movement that causes a global shift in consciousness by transforming communications among individuals, communities, and countries and inspiring people to use language as a tool to build bridges with other cultures. Our goal is to dispel the myth that learning languages is difficult and to inspire people to have fun learning Arabic, French, German, Mandarin, Russian and Spanish, easily, inexpensively, effectively and in a brief period of time.

Many bilingual programs around the world whose missions are aligned with ours do not have sufficient access to English books and shipping is cost-prohibitive. Copies of many of our books are available on-line in English for free. Go to *www.fluencyfast.com / isabela.htm* to download.

For other Fluency Fast books, a schedule of upcoming classes and a list of our on-line language classes, visit us at *www.fluencyfast. com*.

Phone: 1-719-633-6000

Fluency Fast is an equal-opportunity educator and employer. We do not discriminate on the basis of race, color, gender, creed, sexual orientation, disability or age.